one

 **Trace and write the
number word.**

How many numbers do you see? 9

Draw one airplane in the sky.

Draw one rainbow.

2

two

Say the name of the number and trace the number.

2

Look at the number and color the right number of objects below.

Addition

2 + 1 = 3

2 + 2 = ___ *4*

2 + 3 = ___ *5*

2 + 4 = ___ *6*

2 + 5 = ___ *7*

2 + 6 = ___ *8*

2 + 7 = ___ *9*

2 + 8 = ___ *10*

2 + 9 = ___ *11*

2 + 10 = ___ *12*

Subtraction

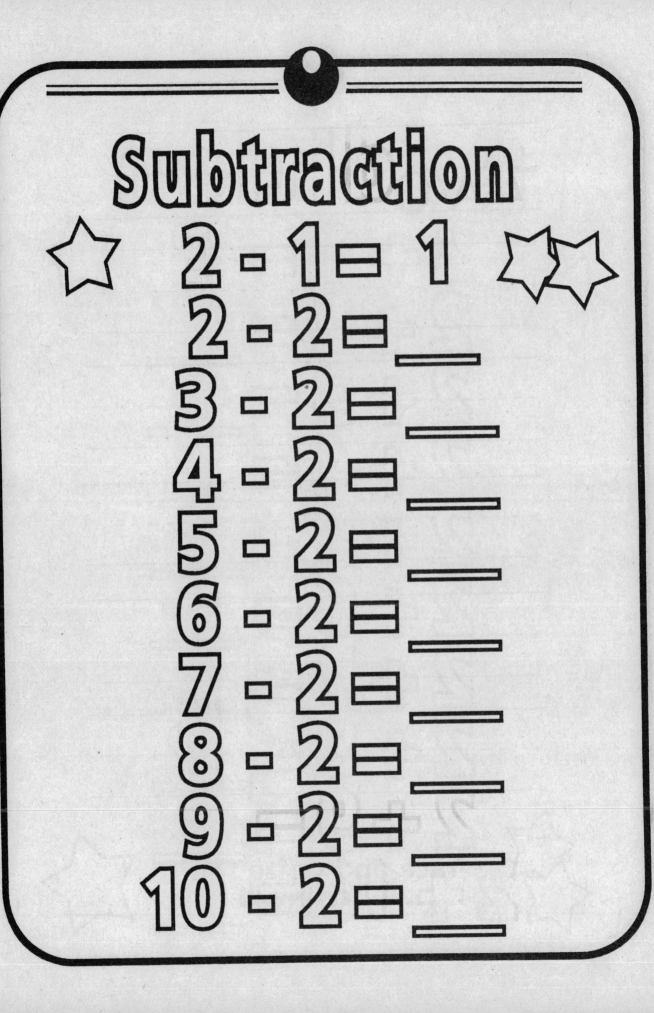

2 - 1 = 1

2 - 2 = ___

3 - 2 = ___

4 - 2 = ___

5 - 2 = ___

6 - 2 = ___

7 - 2 = ___

8 - 2 = ___

9 - 2 = ___

10 - 2 = ___

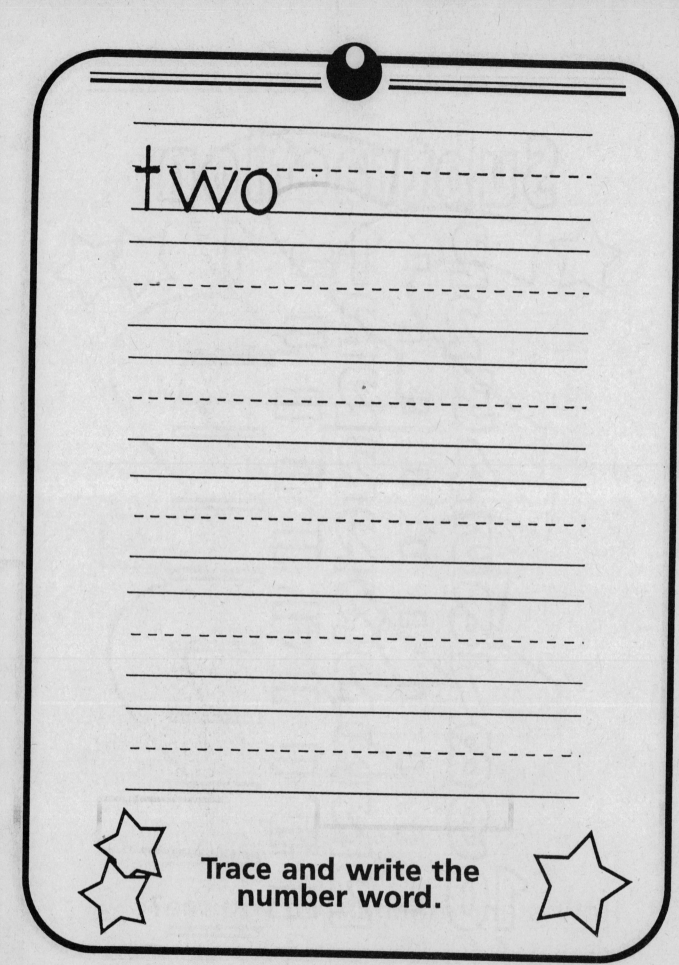

two

**Trace and write the
number word.**

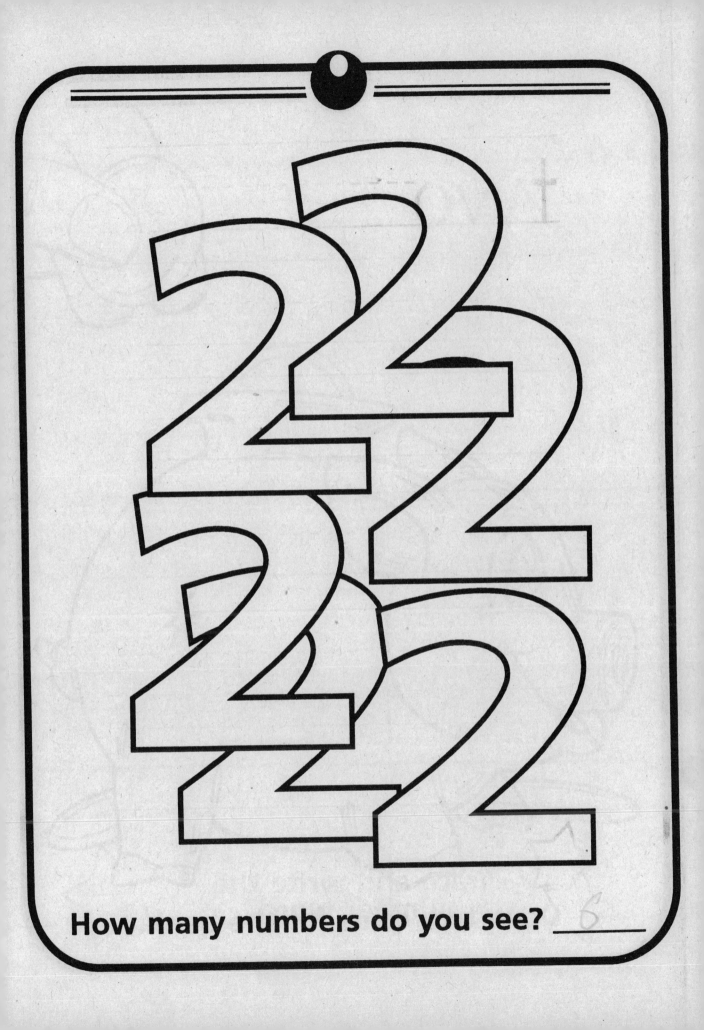

How many numbers do you see? ___6___

Draw two coins for the bank.

1, 2, 3

Circle the right number above.

Draw two pigs on the farm.

3

three

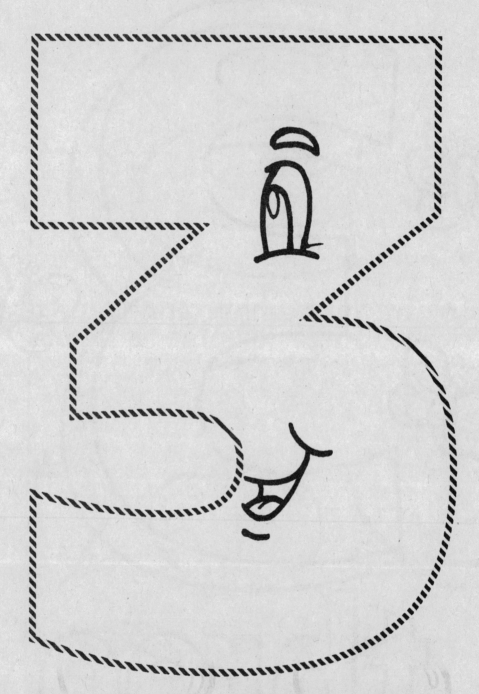

Say the name of the number and trace the number.

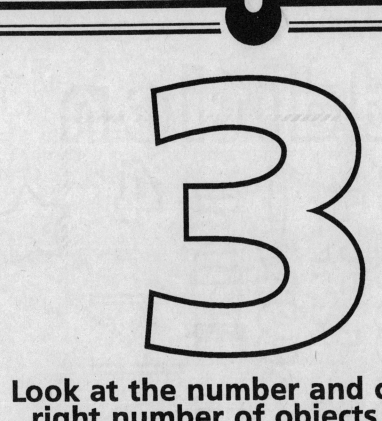

Look at the number and color the right number of objects below.

Addition

$$3 + 1 = 4$$

$$3 + 2 = \underline{\hspace{2cm}}$$

$$3 + 3 = \underline{\hspace{2cm}}$$

$$3 + 4 = \underline{\hspace{2cm}}$$

$$3 + 5 = \underline{\hspace{2cm}}$$

$$3 + 6 = \underline{\hspace{2cm}}$$

$$3 + 7 = \underline{\hspace{2cm}}$$

$$3 + 8 = \underline{\hspace{2cm}}$$

$$3 + 9 = \underline{\hspace{2cm}}$$

$$3 + 10 = \underline{\hspace{2cm}}$$

Subtraction

$3 - 1 = 2$

$3 - 2 = $ _____

$3 - 3 = $ _____

$4 - 3 = $ _____

$5 - 3 = $ _____

$6 - 3 = $ _____

$7 - 3 = $ _____

$8 - 3 = $ _____

$9 - 3 = $ _____

$10 - 3 = $ _____

three

**Trace and write the
number word.**

Draw three hats.

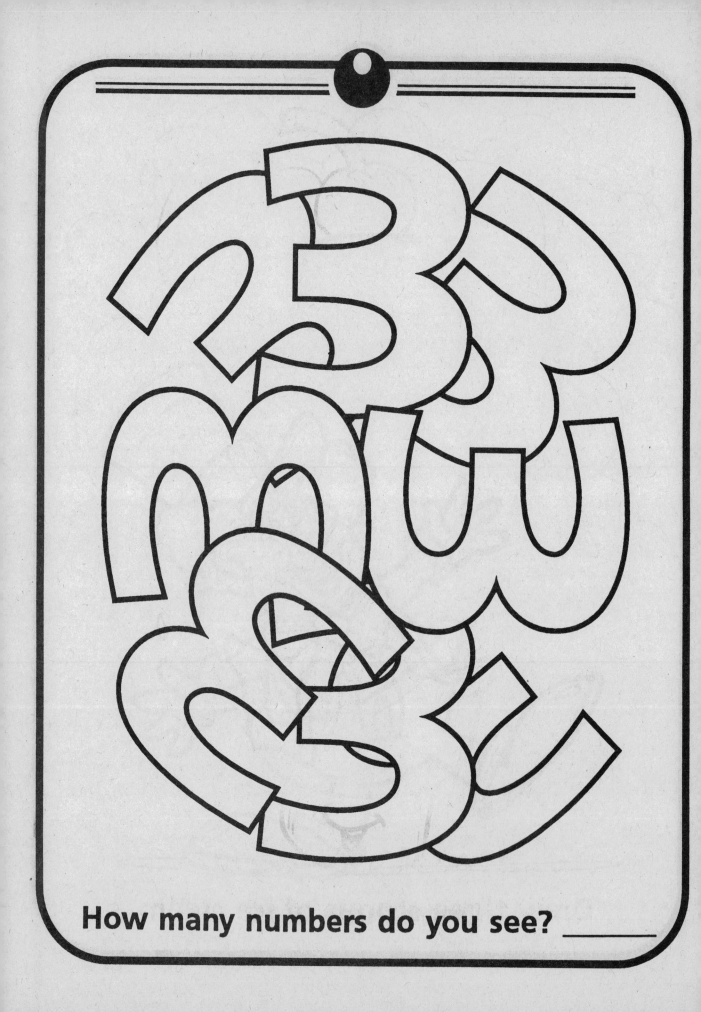

How many numbers do you see? _____

Draw three scoops of ice cream.

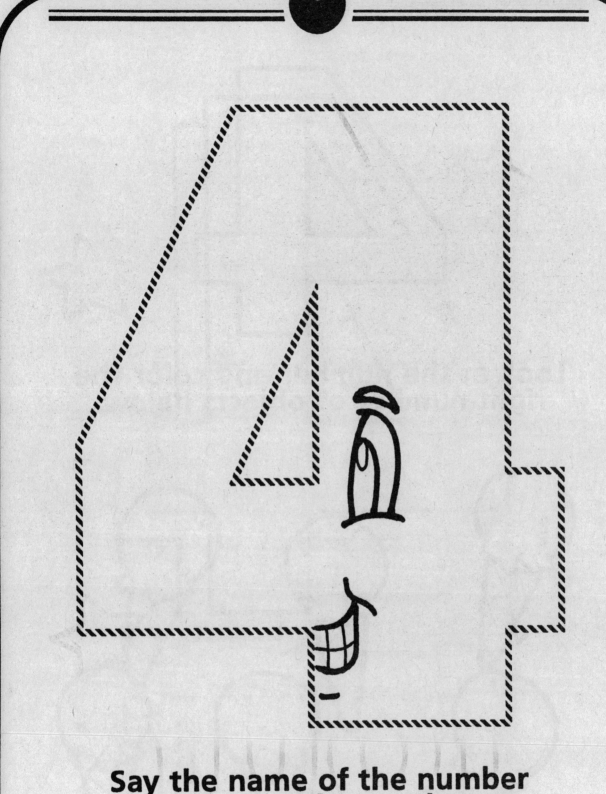

Say the name of the number and trace the number.

4

Look at the number and color the right number of objects below.

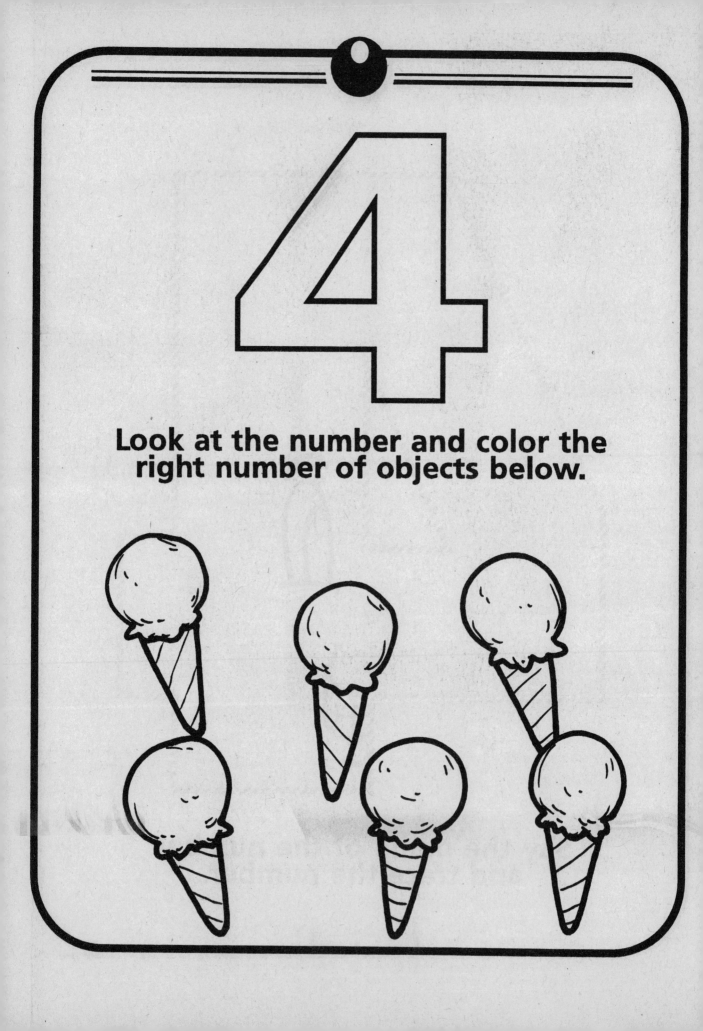

Addition

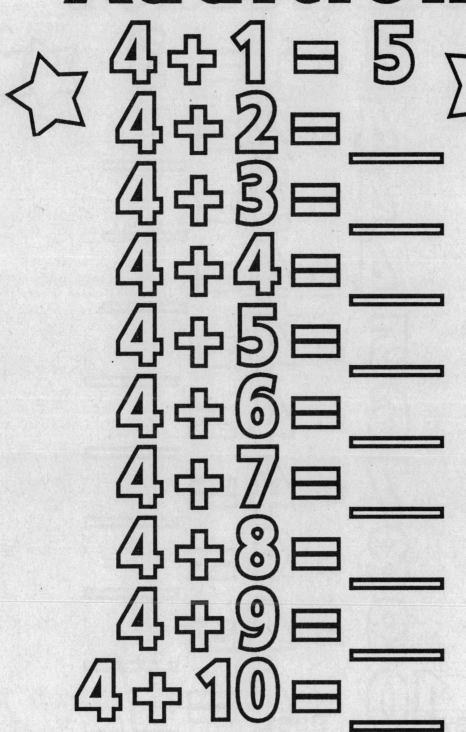

4 + 1 = 5

4 + 2 =

4 + 3 =

4 + 4 =

4 + 5 =

4 + 6 =

4 + 7 =

4 + 8 =

4 + 9 =

4 + 10 =

Subtraction

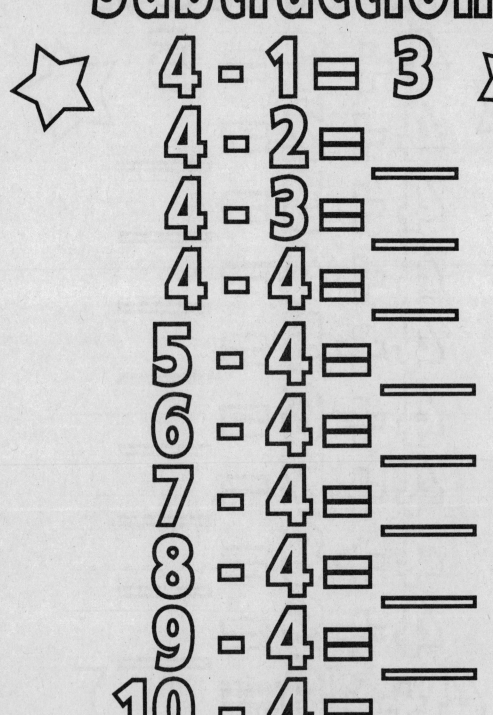

4 - 1 = 3
4 - 2 = ___
4 - 3 = ___
4 - 4 = ___
5 - 4 = ___
6 - 4 = ___
7 - 4 = ___
8 - 4 = ___
9 - 4 = ___
10 - 4 = ___

four

Trace and write the number word.

2, 3, 4

Circle the right number above.

Draw four shoes on the floor.

3, 4, 5

Circle the right number above.

2

3

4

**Draw a line from each number
to the correct number of objects.**

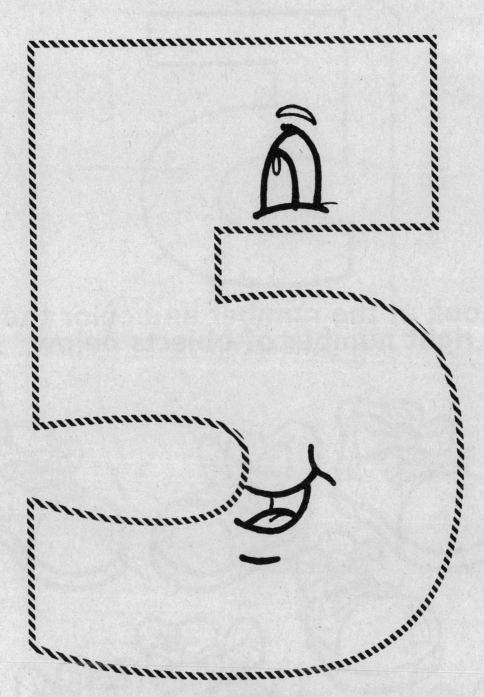

Say the name of the number and trace the number.

Look at the number and color the right number of objects below.

Addition

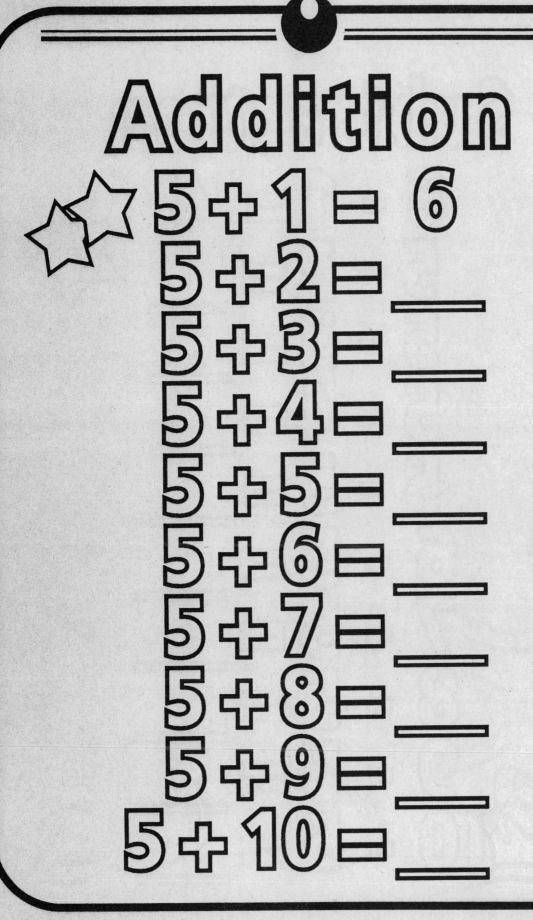

5 + 1 = 6

5 + 2 = ___

5 + 3 = ___

5 + 4 = ___

5 + 5 = ___

5 + 6 = ___

5 + 7 = ___

5 + 8 = ___

5 + 9 = ___

5 + 10 = ___

Subtraction

5 - 1 = 4

5 - 2 = ___

5 - 3 = ___

5 - 4 = ___

5 - 5 = ___

6 - 5 = ___

7 - 5 = ___

8 - 5 = ___

9 - 5 = ___

10 - 5 = ___

five

**Trace and write the
number word.**

Draw five cookies on the tray.

Draw five fish swimming.

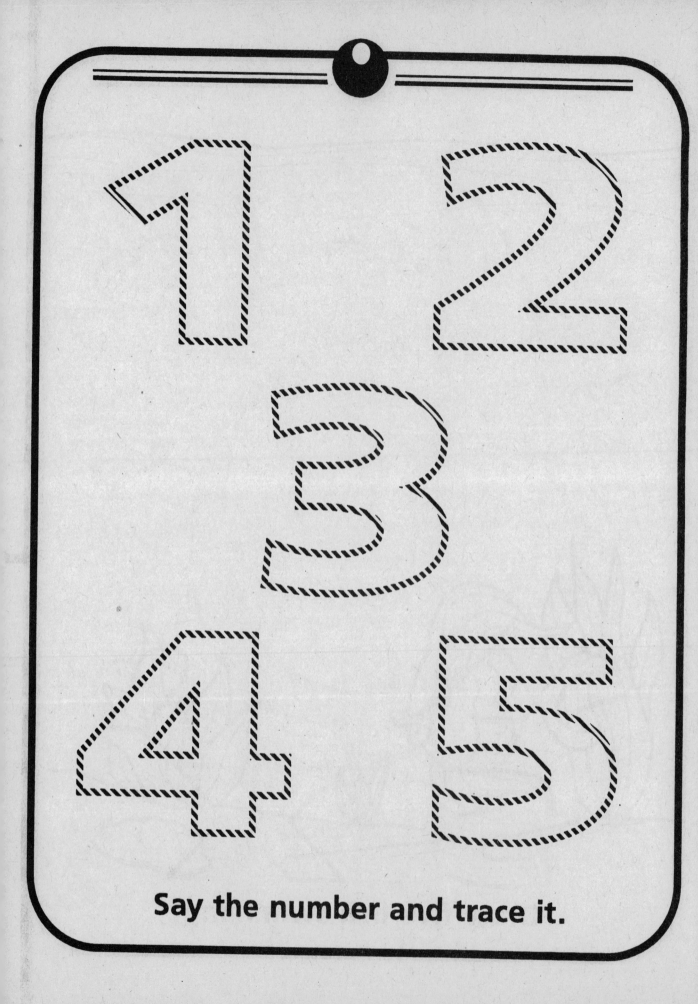

Say the number and trace it.

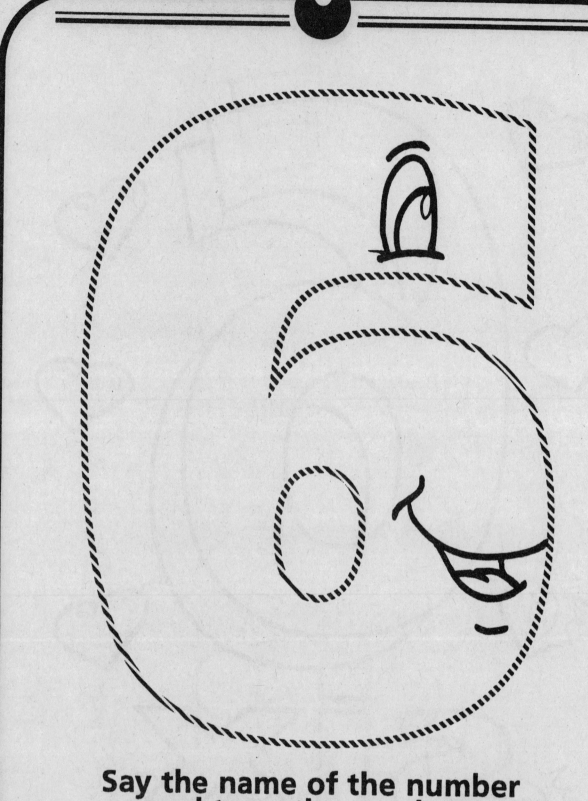

Say the name of the number and trace the number.

Look at the number and color the right number of objects below.

Addition

6 + 1 = 7

6 + 2 = ___

6 + 3 = ___

6 + 4 = ___

6 + 5 = ___

6 + 6 = ___

6 + 7 = ___

6 + 8 = ___

6 + 9 = ___

6 + 10 = ___

Subtraction

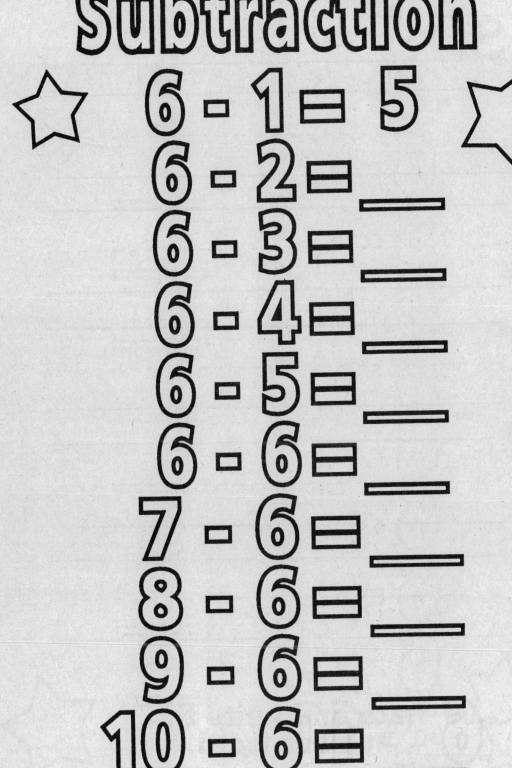

6 - 1 = 5

6 - 2 = ___

6 - 3 = ___

6 - 4 = ___

6 - 5 = ___

6 - 6 = ___

7 - 6 = ___

8 - 6 = ___

9 - 6 = ___

10 - 6 = ___

six

**Trace and write the
number word.**

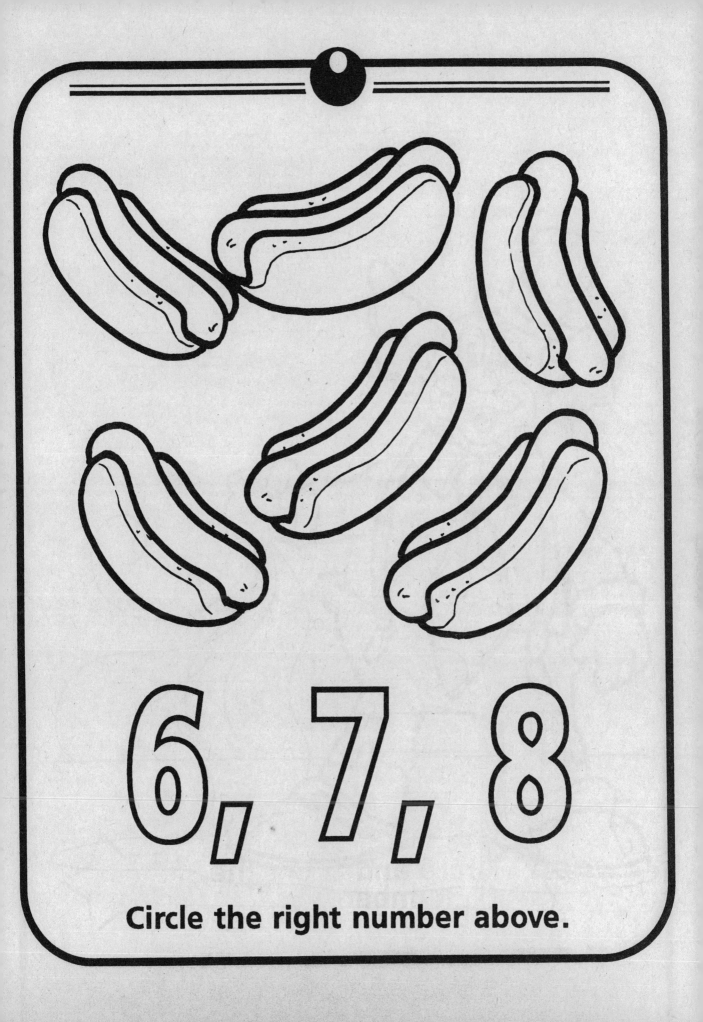

6, 7, 8

Circle the right number above.

Draw six ballons.

4

5

6

**Draw a line from each number
to the correct number of objects.**

seven

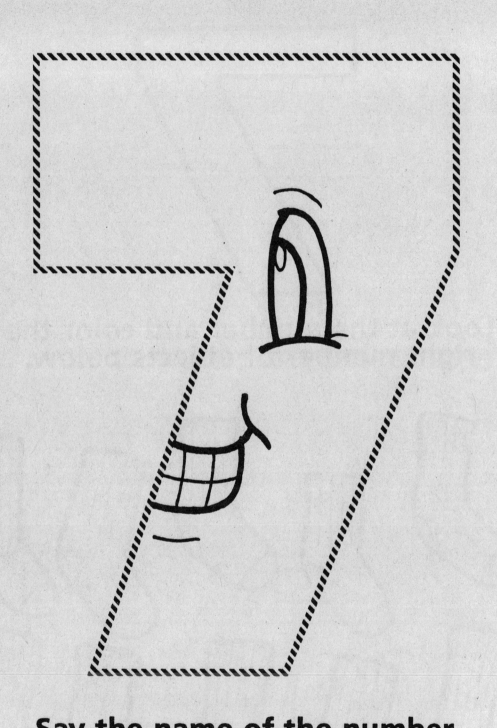

**Say the name of the number
and trace the number.**

7

Look at the number and color the right number of objects below.

Addition

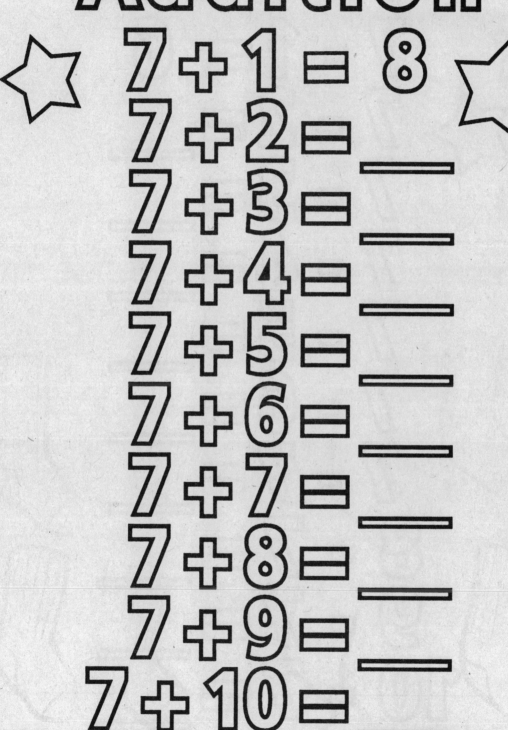

$$7 + 1 = 8$$
$$7 + 2 =$$
$$7 + 3 =$$
$$7 + 4 =$$
$$7 + 5 =$$
$$7 + 6 =$$
$$7 + 7 =$$
$$7 + 8 =$$
$$7 + 9 =$$
$$7 + 10 =$$

Subtraction

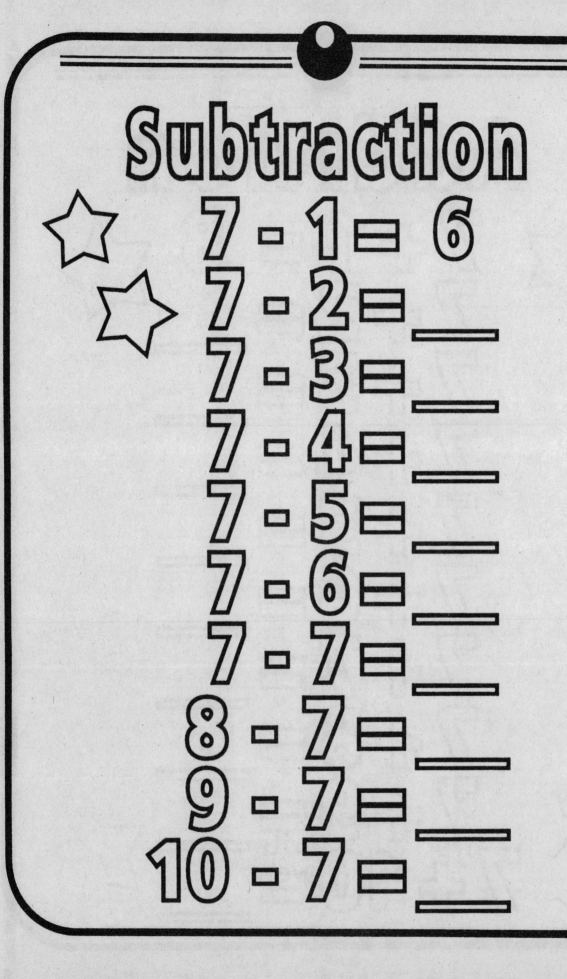

7 - 1 = 6

7 - 2 = ___

7 - 3 = ___

7 - 4 = ___

7 - 5 = ___

7 - 6 = ___

7 - 7 = ___

8 - 7 = ___

9 - 7 = ___

10 - 7 = ___

seven

Trace and write the number word.

Draw seven bees.

5

6

7

Draw a line from each number to the correct number of objects.

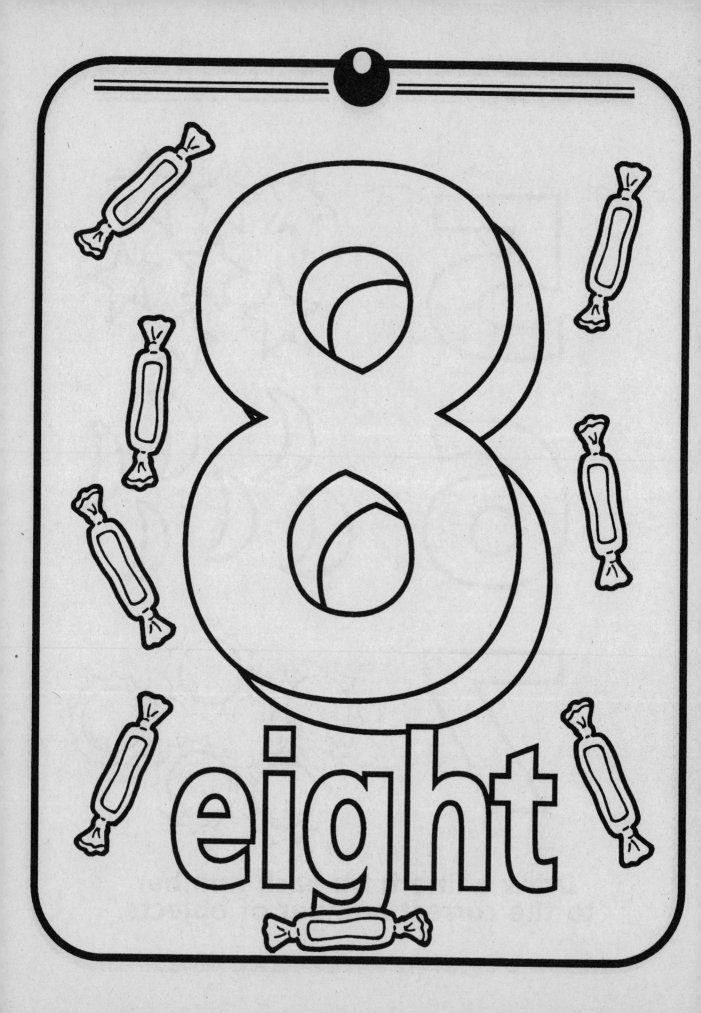

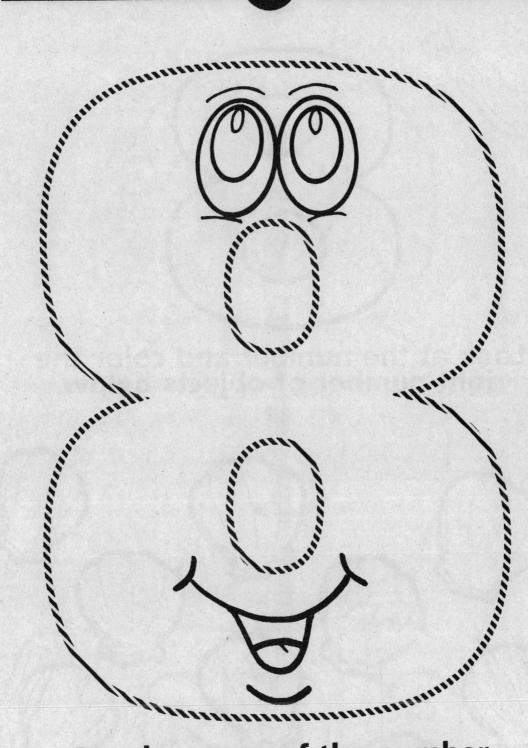

Say the name of the number and trace the number.

8

**Look at the number and color the
right number of objects below.**

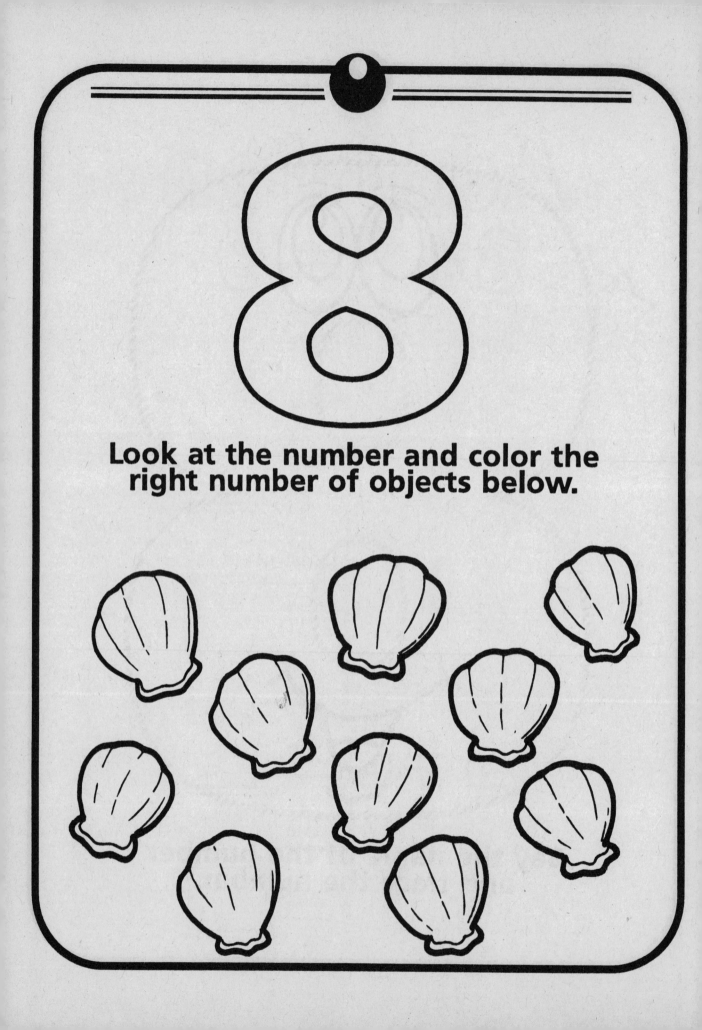

Addition

8 + 1 = 9

8 + 2 = ___

8 + 3 = ___

8 + 4 = ___

8 + 5 = ___

8 + 6 = ___

8 + 7 = ___

8 + 8 = ___

8 + 9 = ___

8 + 10 = ___

Subtraction

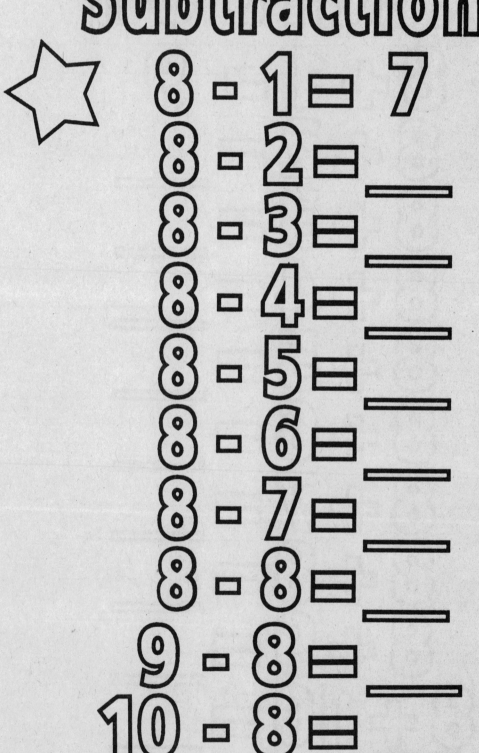

8 - 1 = 7

8 - 2 = ___

8 - 3 = ___

8 - 4 = ___

8 - 5 = ___

8 - 6 = ___

8 - 7 = ___

8 - 8 = ___

9 - 8 = ___

10 - 8 = ___

eight

**Trace and write the
number word.**

8, 9, 10

Circle the right number above.

Draw eight balls in the park.

Say the name of the number and trace the number.

9

Look at the number and color the right number of objects below.

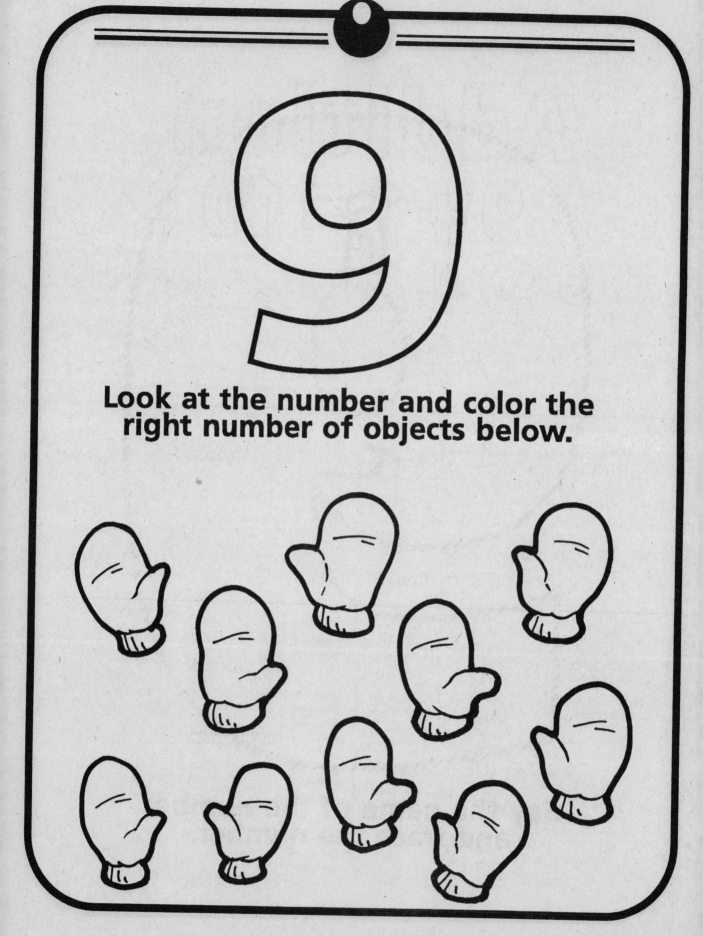

Addition

9 + 1 = 10

9 + 2 = ___

9 + 3 = ___

9 + 4 = ___

9 + 5 = ___

9 + 6 = ___

9 + 7 = ___

9 + 8 = ___

9 + 9 = ___

9 + 10 = ___

Subtraction

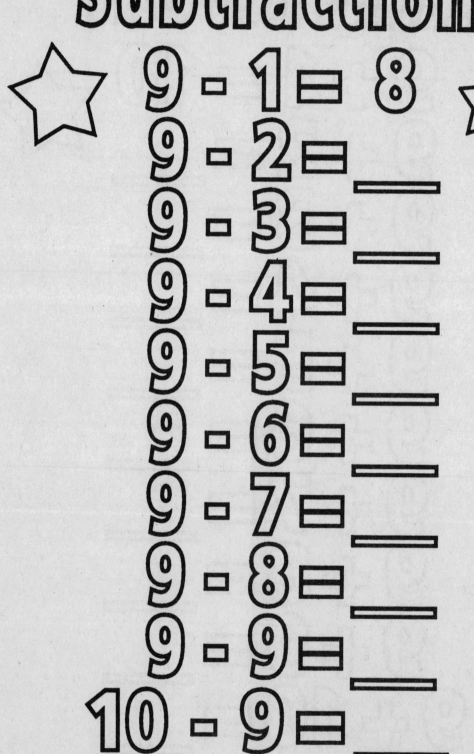

$9 - 1 = 8$

$9 - 2 = $ ___

$9 - 3 = $ ___

$9 - 4 = $ ___

$9 - 5 = $ ___

$9 - 6 = $ ___

$9 - 7 = $ ___

$9 - 8 = $ ___

$9 - 9 = $ ___

$10 - 9 = $ ___

nine

Trace and write the number word.

Draw nine ants at the picnic.

7, 8, 9

Circle the right number above.

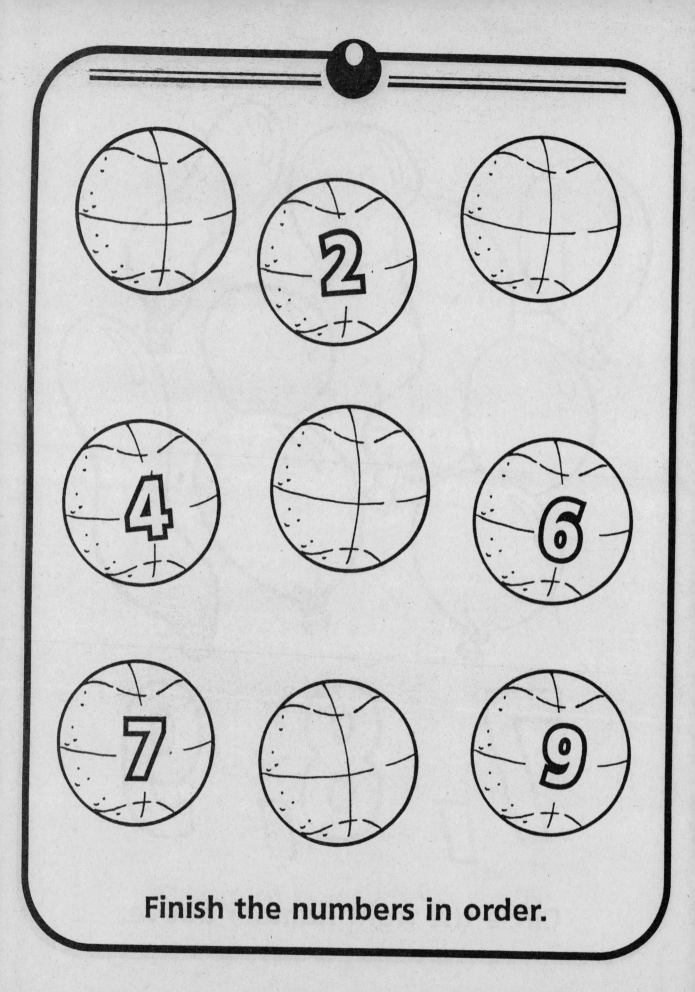

Finish the numbers in order.

1 3

5 6

7 9

Fill in the missing numbers.

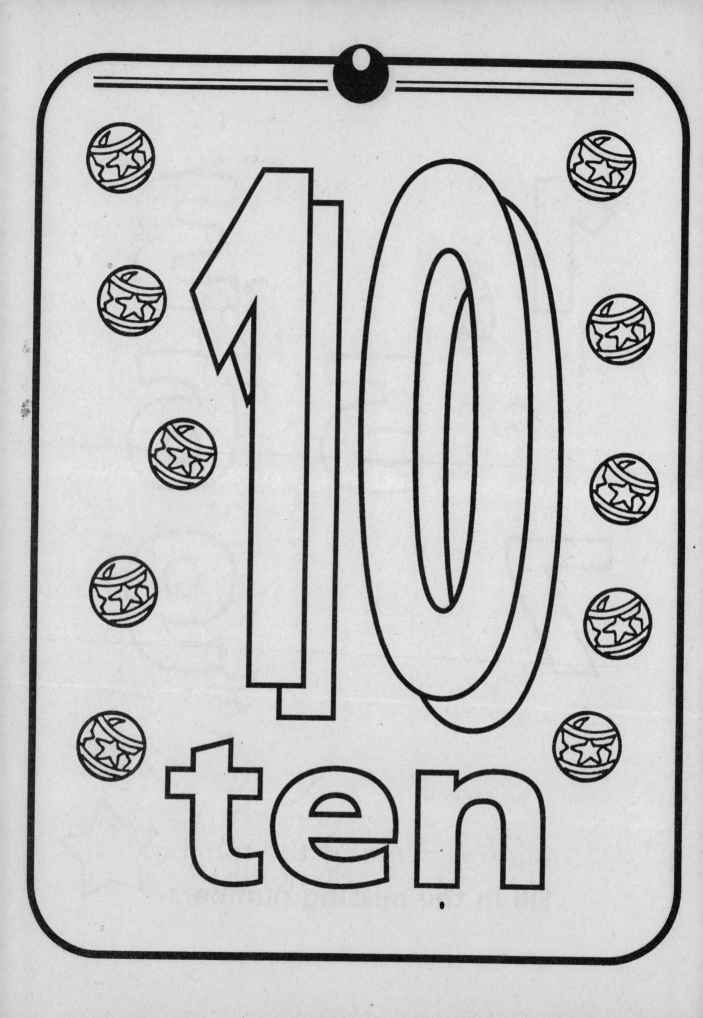

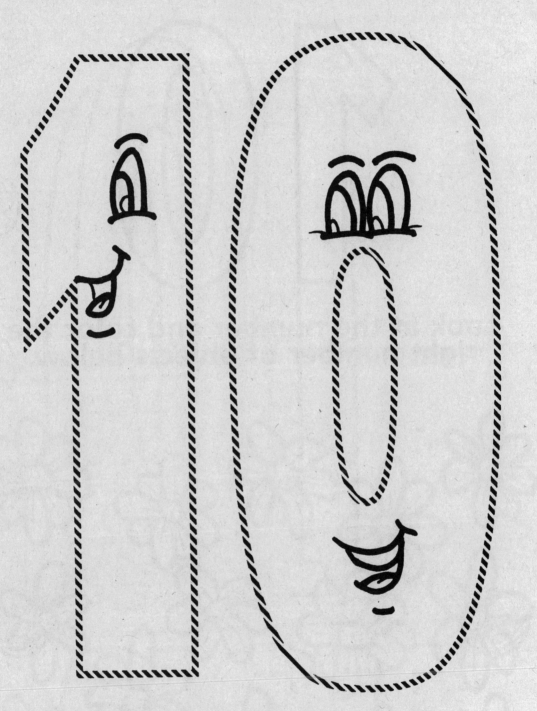

Say the name of the number and trace the number.

Look at the number and color the right number of objects below.

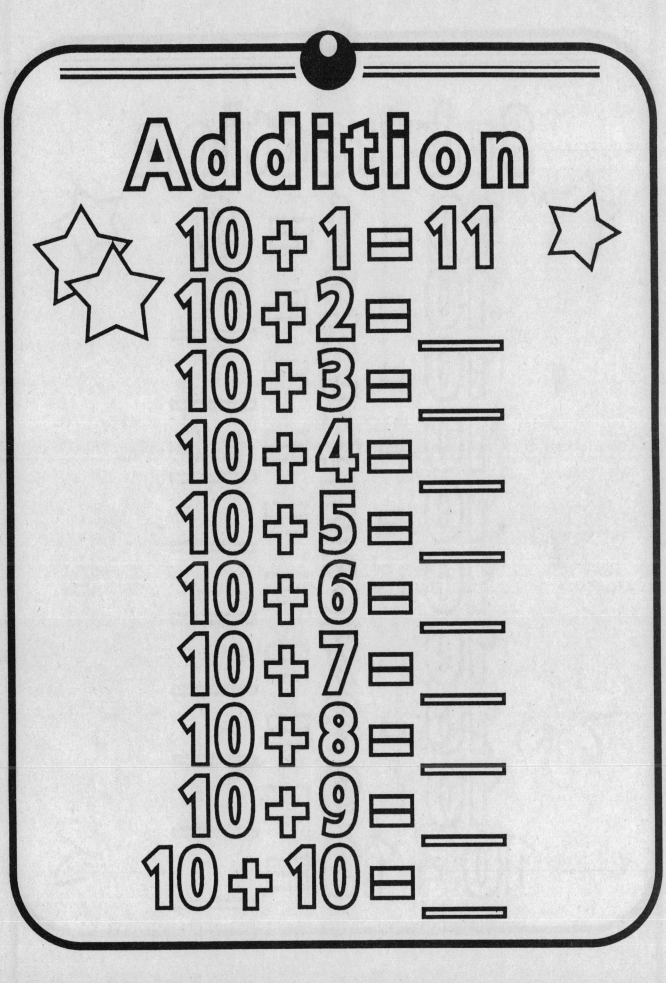

Addition

$10 + 1 = 11$

$10 + 2 = \underline{\hphantom{00}}$

$10 + 3 = \underline{\hphantom{00}}$

$10 + 4 = \underline{\hphantom{00}}$

$10 + 5 = \underline{\hphantom{00}}$

$10 + 6 = \underline{\hphantom{00}}$

$10 + 7 = \underline{\hphantom{00}}$

$10 + 8 = \underline{\hphantom{00}}$

$10 + 9 = \underline{\hphantom{00}}$

$10 + 10 = \underline{\hphantom{00}}$

Subtraction

10 - 1 = 9

10 - 2 = ___

10 - 3 = ___

10 - 4 = ___

10 - 5 = ___

10 - 6 = ___

10 - 7 = ___

10 - 8 = ___

10 - 9 = ___

10 - 10 = ___

ten

**Trace and write the
number word.**

Draw ten stars in the night sky.

6 7
8
9 10

Say the number and trace it.

1 2 3
4 5 6
7 8 9
10

Circle all the odd numbers.

1 2 3
4 5 6
7 8 9
10

Circle all the even numbers.

Draw six balloons.

Write the missing numbers on the lines.

Finish the numbers in order.